Lexique des
FRUITS

BIBLIOTHÈQUE ADMINISTRATIVE
Ministère des Communications
Éléments de catalogage avant publication

Croteau, Clément.

    Lexique des fruits : terminologie de l'alimentation : lexique français-anglais-latin / Clément Croteau / [avec la collab. des membres du comité de terminologie, Claude-J. Bouchard... [et al.]. — [Nouv. éd.]. — Québec : Publications du Québec, c1991.
    (Cahiers de l'Office de la langue française)

    «Préparé sous la direction de Jean-Marie Fortin» — Verso de la p. de t.
    Bibliogr.
ISBN 2-551-14695-X

    1. Fruits — Dictionnaires polyglottes. 2. Dictionnaires polyglottes.
I. Bouchard, Claude-J. II. Fortin, Jean-Marie. III. Titre.

A11L3C3/

ahiers de l'Office
e la langue française

Les
**PUBLICATIONS
DU QUÉBEC**

Lexique des FRUITS

Terminologie de l'alimentation

Lexique français-anglais-latin

Clément Croteau

Québec ⬩⬩

Ce lexique a été préparé sous la
direction de Jean-Marie Fortin, directeur
des services linguistiques.

Cette édition a été produite par
Les Publications du Québec
1279, boul. Charest Ouest
Québec (Québec)
G1N 4K7

Conception graphique de la couverture :
Louise Vallée et Charles Lessard,
graphistes associés

Photographies : Paul Casavant, photographe
pour les Éditions Héritage inc.

Premier tirage : août 1991
Deuxième tirage : novembre 1992

Membres du comité de terminologie

Claude-J. Bouchard
Agronome
Direction de la recherche et du développement
Herbier du Québec
Ministère de l'Agriculture, des Pêcheries et de l'Alimentation du Québec

Francine Lagacé
Conseillère à la normalisation des aliments
Direction de la normalisation
Ministère de l'Agriculture, des Pêcheries et de l'Alimentation du Québec

Louise Hébert
Directrice du marketing, de la promotion et des relations publiques
Fruits Botner ltée

Marc Vaillancourt
Agronome
Direction générale production et inspection des aliments
Agriculture Canada

Claude Willemot
Chercheur scientifique
Direction générale de la recherche
Agriculture Canada
et
Professeur associé
Faculté des sciences de l'agriculture et de l'alimentation
Université Laval

Le contenu de cette publication est également diffusé, sous diverses formes, par le réseau public de la Banque de terminologie du Québec.

Remerciements

Nous désirons remercier Mme France Crochetière, agronome au ministère de l'Agriculture, des Pêcheries et de l'Alimentation du Québec et M. Christian Bourbonnière, directeur des approvisionnements au centre de distribution de fruits et légumes (Provigo Distribution inc.), qui ont aimablement accepté de revoir le contenu de ce lexique. Nos remerciements s'adressent également à M. Paul Casavant, photographe pour les Éditions Héritage inc., qui a fourni les photographies nécessaires pour la réalisation des illustrations.

Nous voulons aussi souligner la contribution des collègues de travail qui ont apporté leur soutien, en particulier Mmes Nicole Auclair, Françoise Hudon, France Michel, Andrée Nolet, Ginette Paquet et Sylvie Pelletier, MM. Normand Côte et Paul-André Plante et, enfin, celle de Mme Tina Célestin, chef du Service de la terminologie ponctuelle qui, tout au cours de la réalisation de ce projet, nous a fait part de ses judicieux conseils.

Préface

Il n'est pas si loin le temps où le choix de fruits offerts au public québécois était peu varié. Par contre, aujourd'hui, grâce surtout à l'évolution des moyens de transport, aux nouvelles méthodes de conservation et aux exigences des consommateurs, les fruits qui apparaissent dans le commerce ne cessent d'augmenter par leur diversité. Qu'ils soient importés ou locaux, qu'ils soient connus ailleurs depuis longtemps ou qu'ils soient nouveaux à la suite d'un croisement récent, ces produits ont besoin, dans notre milieu, d'être adéquatement dénommés, décrits ou illustrés. Le *Lexique des fruits* atteint bien cet objectif et tout en facilitant la promotion des fruits, il contribue donc à implanter leur appellation.

Aussi, l'Association canadienne de la distribution de fruits et légumes est plus qu'heureuse de pouvoir signaler à ses membres cet important travail terminologique qui vient d'être accompli dans ce domaine particulier de l'alimentation.

L'industrie de l'alimentation est certaine que cet outil terminologique va encourager tous ceux et celles qui travaillent à divers titres dans ce secteur à poursuivre leurs efforts pour l'amélioration de la qualité de la terminologie véhiculée par l'affichage, l'étiquetage et la commercialisation.

Léo Arsenault,
président
Association canadienne de la
distribution de fruits et légumes

Introduction

En 1972, l'Office de la langue française publiait en édition provisoire le *Lexique des fruits et légumes,* lexique qui a connu un franc succès. Aussi, depuis quelques années, de nombreuses demandes lui ont été formulées afin que cette publication soit revue et augmentée en reflétant davantage les réalités du marché qui importe de plus en plus de fruits exotiques encore inconnus du consommateur il n'y a pas si longtemps. Le fractionnement de la publication initiale en deux lexiques vise à permettre une meilleure compréhension des notions et des notes qui s'y rapportent en regroupant les familles de fruits et à faciliter la consultation de l'ouvrage en traitant chacune des deux nomenclatures comme un tout cohérent. Aujourd'hui, l'Office est donc heureux de présenter la nouvelle édition du *Lexique des fruits.*

Un comité de terminologie a été mis sur pied pour revoir, à la lumière des informations tirées des ouvrages spécialisés nouvellement parus, la terminologie déjà suggérée et pour proposer, en ce qui a trait aux réalités non traitées auparavant, les termes appropriés. La nomenclature de l'édition de 1972 a été augmentée de quelque vingt-cinq fruits que l'on trouve de plus en plus dans le commerce au Québec.

Dans ce lexique, l'appellation *fruits* ne correspond pas à la définition botanique du terme mais est plutôt employée au sens général de celui-ci, c'est-à-dire un produit que l'on mange principalement en dessert et que l'on utilise en pâtisserie et en confiserie. Aussi, certains fruits ne sont pas mentionnés, ceux-ci étant davantage apprêtés comme un légume (ex. : banane plantain, avocat). De plus, certains produits qui ont été retenus dans la présente publication parce qu'ils font partie des habitudes alimentaires ne pourraient être classés, en botanique, parmi les fruits (ex. : graine de tournesol).

De nombreuses notes linguistiques et encyclopédiques informent le lecteur sur une réalité ou un produit là où les termes seuls ne suffiraient pas, surtout dans un domaine où la langue générale vient souvent supplanter les appellations relevant de la botanique. Les fruits qui ont été ajoutés sont pour la plupart illustrés, ce qui permet de faire le rapprochement entre l'appellation et l'identification visuelle du produit.

Dans ce domaine, l'usage veut qu'on indique généralement le terme scientifique du fruit correspondant à la plante d'où il provient. C'est pourquoi, même si c'est seulement à titre indicatif, le comité de terminologie a tenu à donner l'appellation latine du fruit qui identifie son origine, soit en donnant le genre et l'espèce (par exemple, le kiwi est cultivé à partir d'une plante dénommée en latin *Actinidia chinensis, Actinidia* désignant le genre et *chinensis* désignant l'espèce), soit dans certains cas en précisant la variété ou le cultivar qui le distingue parmi les autres fruits de l'espèce (par exemple, le melon brodé est produit à partir du *Cucumis melo* var. *reticulatus*, *Cucumis* désignant le genre, *melo* désignant l'espèce, var. étant l'abréviation de variété et *reticulatus* désignant la variété).

Il existe toutefois une différence entre le cultivar et la variété; le premier s'emploie pour désigner une plante créée et cultivée artificiellement tandis que la seconde s'utilise pour désigner une plante que l'on trouve à l'état naturel (par exemple, *pomme McIntosh* correspond au latin *Malus communis* cv. *McIntosh, Malus* désignant le genre, *communis* désignant l'espèce, cv. étant l'abréviation de cultivar et *McIntosh* désignant le cultivar); contrairement aux noms d'espèce, de genre et de variété, le nom du cultivar conserve sa langue d'origine. Pour les besoins du présent ouvrage, les cultivars les plus connus au Québec sont mentionnés dans les notes et sont désignés sous l'appellation *variété*, comme le veut l'usage dans le commerce et la documentation destinée au grand public. De plus, afin d'uniformiser la graphie des termes désignant les variétés, le comité de terminologie a retenu l'utilisation de la minuscule initiale lorsque ces variétés sont dénommées par métonymie (par exemple, la mcIntosh désigne la pomme McIntosh).

Nous espérons que le présent ouvrage pourra permettre à ceux et celles qui travaillent dans ce secteur d'activité économique en pleine expansion d'utiliser une terminologie uniforme et ainsi de poursuivre les efforts pour l'amélioration de la qualité de la langue entrepris depuis déjà une vingtaine d'années dans ce domaine qui touche chacun d'entre nous quotidiennement.

Clément Croteau,
terminologue

Abréviations et remarques liminaires

n. f.	nom féminin
n. m.	nom masculin
spp.	species (dans le cas de plusieurs espèces qu'on ne veut pas nommer)
syn.	synonyme
var.	varietas (variété botanique)
v. a.	voir aussi
v. o.	variante orthographique
x	hybride (croisement de deux fruits)

1. Présentation

a) Le vocabulaire suit l'ordre alphabétique français discontinu.

b) Chaque entrée est précédée d'un numéro d'article et chaque article terminologique comprend, en français, le terme clé suivi d'un indicatif de grammaire et, s'il y a lieu, de son synonyme ; en anglais, le terme clé est suivi le cas échéant de ses sous-entrées (variante orthographique). Dans la plupart des cas une note complète l'information.

c) Les termes scientifiques (noms latins) sont donnés, dans chaque article, à la suite des appellations anglaises et sont séparés par un point-virgule.

d) Tant en anglais qu'en français, l'entrée principale est séparée de ses synonymes par un point-virgule et les synonymes sont également séparés entre eux par un point-virgule.

e) Chaque synonyme français est repris dans la nomenclature. La forme *syn. de* qui l'accompagne renvoie au terme principal.

f) La mention *v. a.* (voir aussi) renvoie à un article terminologique où l'on trouve des renseignements additionnels.

2. Illustrations

La présence d'une illustration est mentionnée après les termes scientifiques ou les notes, selon le cas, par la mention *figure* entre parenthèses. Les illustrations sont regroupées au centre de l'ouvrage. Pour chacune d'elles, le numéro entre parenthèses qui suit le terme correspond au numéro de l'article terminologique dans lequel l'illustration est mentionnée.

3. Bibliographie

Le lexique proprement dit est suivi d'une bibliographie qui comprend les principaux documents utilisés lors du traitement terminologique des données, classés en deux catégories (ouvrages et dictionnaires spécialisés et normes) et par ordre alphabétique d'auteurs ou d'organismes. Pour ne pas alourdir la présentation, les ouvrages de langue générale n'ont pas été indiqués.

4. Index

Trois index ont été constitués :

1) un index des termes français et des autres termes cités en note, comprenant également les termes à éviter écrits en italique;
2) un index des termes anglais;
3) un index des termes scientifiques.

Lexique

1. abricot n. m.
apricot
Prunus armeniaca;
Armeniaca vulgaris

2. airelle n. f.
red whortleberry
Vaccinium vitis idaea;
Vaccinium vitis idaea var. *minus*

Note. — L'airelle ressemble à la canneberge mais elle est beaucoup plus petite.

3. akée n. f.
akee
Blighia sapida

Note. — L'akée a une forme plus ou moins ovoïde et sa couleur varie du jaune au rouge. Sa peau lisse à taches rosées rappelle celle de la pêche.

4. amande n. f.
natural almond;
almond
Amygdalus communis;
Prunus amygdalus

Note. — Les amandes se divisent en deux grandes variétés, soit l'amande amère et l'amande douce.

5. amande amère n. f.
bitter almond
Prunus amygdalus var. *amara*

V. a. **amande**

6. amande douce n. f.
sweet almond
Prunus amygdalus var. *dulcis*

Note. — L'amande douce est l'amande comestible et elle est plus connue sous l'appellation *amande* sans déterminant.

V. a. **amande**

7. amélanche n. f.
June-berry;
service-berry;
shadbush;
Saskatoon
Amelanchier alnifolia

Notes. — 1. Le terme *petite poire,* utilisé dans l'est canadien, est déconseillé, car il porte à confusion avec la poire (*Pyrus communis*) de petite taille.
2. Le terme *Saskatoon* est parfois utilisé en français pour désigner l'amélanche. Cette appellation est uniquement réservée aux fruits provenant de la région de Saskatoon dans l'ouest canadien.

8. ananas n. m.
pineapple
Ananas comosus;
Ananas sativus

9. anone cœur de bœuf n. f.
bullock's heart;
custard apple
Annona reticulata

Notes. — 1. Ce fruit est aussi connu sous les appellations *cachiman cœur de bœuf* et *cœur de bœuf.*
2. L'anone cœur de bœuf possède une chair blanche légèrement rosée, même parfois rouge, moins fine que celle de la chérimole.

10. anone écailleuse
 Syn. de **pomme cannelle**

11. **arachide** n. f.;
    cacahuète n. f.
peanut;
groundnut;
earthnut;
goober;
monkey nut
Arachis hypogaea
Note. — Le terme *arachide* est très utilisé au Canada et au Québec; en France, c'est le terme *cacahuète* qui est courant.

12. **arbouse** n. f.
arbutus-berry;
tree strawberry
Arbutus unedo
Note. — L'arbouse ressemble extérieurement à une fraise. Ce fruit est principalement transformé par la cuisson en confiture, en gelée ou est mis en conserve.

13. **asimine** n. f.
pawpaw 1
V. o. *papaw*
Asimina triloba
Note. — Le terme anglais *pawpaw* désigne deux fruits différents, soit l'asimine et la papaye; il est plus juste, en français, de rendre *pawpaw* par *asimine* et *papaya* par *papaye*.

14. **atemoya** n. f.
atemoya
Annona squamosa
Note. — L'atemoya est le résultat du croisement de la chérimole et de la pomme cannelle.

15. **atoca**
    Syn. de **canneberge**

16. **aveline** n. f.
filbert
Corylus avellana
Note. — L'aveline est de la même famille que la noisette mais plus grosse, et sa peau est rougeâtre.

17. **azerole** n. f.
azarole
Crataegus azarolus
Note. — L'azerole est un fruit ovale, un peu acide, qui s'apprête bien en confiture et en compote.

B

18. **babaco** n. m.
babaco
Carica pentagona
Note. — Le babaco est le résultat du croisement de deux espèces de papayes. Sa fine peau verte, qui devient jaune lorsque le fruit atteint sa pleine maturité, protège une chair parfumée, juteuse et dépourvue de pépins.

19. **baie de sureau** n. f.;
    sureau n. m.
elderberry
Sambucus spp.

20. **banane** n. f.
banana
Musa spp.
Note. — Les variétés de bananes les plus connues sont la **cavendish** et la **gros michel**.

21. **banane naine** n. f.
baby banana
Musa spp.
Note. — Les variétés de bananes naines les plus connues sont la **manzano**, la **burro**, l'**orito** et la **rouge colorado**.

22. **barbadine** n. f.
giant granadilla
Passiflora quadrangularis
Note. — La barbadine ressemble à un melon; elle possède une cavité remplie de graines allongées. De saveur légèrement aigre-douce, sa chair, très prisée, donne un excellent jus et une marmelade savoureuse. Le fruit encore vert peut être utilisé comme légume.

23. **bergamote** n. f.
bergamot
Citrus bergamia
Note. — La bergamote est jaunâtre et ressemble à une petite orange. Ce fruit qu'on ne peut manger tel quel, à cause de sa très grande acidité, est utilisé en confiserie et en parfumerie.

24. **bibace**
    Syn. de **nèfle du Japon**

25. bigarreau n. m.
sweet cherry 1;
bigarreau cherry;
bigaroon cherry;
hard-fleshed cherry
Prunus avium var. duracina
V. a. **cerise**

26. bleuet n. m.
blueberry
Vaccinium angustifolium;
Vaccinium angustifolium var. nigrum;
Vaccinium corymbosum;
Vaccinium myrtilloides
Notes. — 1. Dans son ouvrage la *Flore laurentienne,* le frère Marie-Victorin désigne sous le nom *airelle* toutes les espèces du genre *Vaccinium.* Dans ce lexique, l'appellation *airelle* est réservée à l'espèce *Vaccinium vitis idaea.*
2. Le petit bleuet ou bleuet nain provient surtout de l'espèce *Vaccinium angustifolium.* Cette variété est fortement répandue dans les bleuetières naturelles ou semi-cultivées du Lac-Saint-Jean, du Saguenay et de l'Abitibi. Le gros bleuet ou bleuet géant provient de l'espèce *Vaccinium corymbosum* ; il est cultivé aux États-Unis et dans les Maritimes.

C

27. cacahuète
Syn. de **arachide**

28. cajou n. m.;
noix de cajou n. f.
cashew nut;
cashew
Anacardium occidentale

29. calamondin n. m.
calamondin;
scarlet lime
Citrus mitis;
Citrus madurensis
Note. — Le calamondin est le résultat du croisement de la mandarine et du kumquat.

30. canne à sucre n. f.
sugarcane
Saccharum officinarum

31. canneberge n. f.;
atoca n. m.
cranberry
Vaccinium macrocarpon;
Vaccinium oxycoccos
Notes. — 1. *Atoca* est un mot d'origine amérindienne.
2. Les termes *canneberge* et *atoca* s'appliquent indifféremment au *Vaccinium macrocarpon* et au *Vaccinium oxycoccos.* Le fruit du *Vaccinium macrocarpon* est cependant plus gros que celui du *Vaccinium oxycoccos.* Au Canada, bien que les deux espèces soient récoltées dans les tourbières ou dans les marécages, l'espèce *Vaccinium macrocarpon* est cependant prédominante. En Europe, on ne retrouve que l'espèce *Vaccinium oxycoccos.*

32. cantaloup n. m.
cantaloupe;
cantaloup;
cantalope;
rock melon
Cucumis melo var. cantalupensis
Note. — En français, le terme *cantaloup* se prononce can-ta-lou. (Figure 1.)

33. carambole n. f.
carambola;
starfruit
V. o. *star fruit*
Averrhoa carambola
Note. — La carambole a cinq côtés à angles prononcés et ressemble à une étoile lorsqu'on la découpe transversalement. Sa peau comestible d'aspect cireux et translucide enveloppe une chair jaune pâle, ferme, tendre et juteuse. (Figure 2.)

34. caroube n. f.
carob bean;
locust bean;
carob;
St John's bread
Ceratonia siliqua
Note. — La caroube est constituée de longues gousses brunes renfermant une chair sucrée et juteuse, au sein de laquelle s'aligne une rangée de cinq à quinze graines d'un brun rougeâtre. Dans l'industrie alimentaire, ce fruit est souvent utilisé comme substitut du cacao ou comme additif.

35. cassis n. m.
black currant
V. o. *blackcurrant*
Ribes nigrum
Notes. — 1. Le terme *cassis* se prononce ca-siss.
2. Le cassis est une petite baie noire ; il peut être transformé, par exemple, en confiture ou servir à la préparation de liqueurs.

36. cédrat n. m.
citron
Citrus medica
Note. — Le cédrat ressemble à un gros citron difforme ayant un peu la forme d'une poire ; la plupart des variétés sont très acides.

37. cenelle n. f.
hawthorn berry;
haw
Crataegus spp.
Note. — Les cenelles du Canada et du Québec sont plus ou moins comestibles et sont rarement récoltées pour la vente.

38. cerise n. f.
cherry
Prunus avium;
Prunus cerasus
Notes. — 1. Il existe deux espèces principales de cerises, soit la cerise douce et la cerise acide.
2. En France, deux types de cerises douces sont disponibles sur le marché et sont respectivement dénommées *guigne* et *bigarreau*. La guigne, de couleur rouge, est tendre et charnue ; la variété la plus connue est la **napoléon**. La guigne est utilisée principalement dans l'industrie de la transformation. Au Québec, le type de cerise douce le plus connu est le bigarreau. Sa couleur varie du jaune au rouge foncé et il est vendu à l'état frais. Les variétés de bigarreaux les plus populaires sont, pour la cerise rouge, la **bing,** la **burlatt** et la **lambert** et, pour la cerise jaune, la **rainier.**
3. Au Québec, la **montmorency** est la variété de cerise acide la plus connue.

39. cerise de terre n. f.
ground cherry
Physalis pruinosa

40. châtaigne
Syn. de **marron**

41. chérimole n. f.
cherimoya
Annona cherimola
Note. — La chérimole a la forme d'un cœur. Sa peau varie du bronze au vert jade. Sa chair crémeuse et fondante a la texture d'un flan et est parsemée de quelques graines noires non comestibles. Son goût est délicat et parfumé. (Figure 3.)

42. citron n. m.
lemon
Citrus limon

43. clémentine n. f.
clementine
Citrus reticulata x Citrus aurantium
Note. — La clémentine est le résultat du croisement de la mandarine et de l'orange amère (bigarade) ; contrairement à l'orange amère, la clémentine a un goût très doux. C'est le père Clément Dozier, missionnaire français, qui au début du XXᵉ siècle a contribué à la production de ce fruit, d'où l'origine de son appellation.

44. coing n. m.
quince
Cydonia oblonga;
Cydonia vulgaris
Note. — Le coing, qu'il soit rond ou en forme de poire, duveté ou lisse, a un arôme fruité et agréable. Sa chair jaunâtre est sure, très ferme et sèche. Son cœur ressemble à celui de la pomme mais il contient beaucoup plus de pépins. Cru, le coing n'est pas comestible ; on le transforme souvent par la cuisson en confiture. (Figure 4.)

45. corme 1
Syn. de **sorbe d'Amérique**

46. corme 2
Syn. de **sorbe d'Europe**

47. corossol
Syn. de **corossol épineux**

48. corossol épineux n. m.;
corossol n. m.
soursop
Annona muricata

Notes. — 1. Ce fruit est aussi connu sous les appellations *anone* et *cachiman épineux;* en français, le terme espagnol *guanabana* est également très utilisé.
2. Le corossol épineux possède une chair blanche semblable à celle de la chérimole. Le fruit est mûr lorsque sa peau verte perd son brillant et devient noire; il dégage alors une odeur de térébenthine. Il est principalement utilisé dans la préparation de jus.

49. curuba n. m.
curuba;
taxo;
mollifruit;
banana passionfruit
Passiflora mollissima

Notes. — 1. Ce fruit est aussi connu sous l'appellation *taxo.*
2. Le curuba appartient à la même famille que le fruit de la Passion. Ce fruit peut être plus ou moins allongé, ses graines sont rangées en ligne le long des parois intérieures. Son arôme se marie particulièrement bien avec le lait, par exemple dans la préparation d'un lait frappé.

D

50. datte n. f.
date
Phoenix dactylifera

51. durion n. m.
durian
Durio zibethinus
(Figure 5.)

F

52. feijoa n. m.
feijoa;
pineapple guava
Feijoa sellowiana;
Acca sellowiana

Notes. — 1. Le terme *feijoa* se prononce fé-jo-a.

2. Le feijoa est vert; sa peau non comestible, fine et lisse, est résistante et très amère. Sa chair de couleur crème est sucrée, parfumée et possède la consistance granuleuse d'une poire.

53. figue n. f.
fig
Ficus carica

Note. — Les variétés de figues les plus connues sont la **calymirna**, la **mission** et la **kadota**.

54. figue de Barbarie n. f.
prickly pear;
cactus pear
Opuntia ficus-indica

Notes. — 1. L'appellation *poire cactus* est utilisée abusivement pour désigner ce fruit.
2. La figue de Barbarie, dont la forme rappelle celle d'une poire ou d'un œuf, est recouverte d'épines qu'on retire avant de mettre le produit en vente. La couleur de la pelure des différentes variétés de ce fruit varie de vert à jaune, orange, rose ou cramoisi, tandis que sa chair, pleine de nombreuses petites graines comestibles, est verte, jaune ou rouge. Ce fruit juteux est désaltérant et sa saveur se compare à celle d'un melon d'eau. (Figure 6.)

55. fraise n. f.
strawberry
Fragaria ananassa

Note. — La majorité des variétés de fraises cultivées proviennent de l'hybride *Fragaria ananassa*, résultat du croisement du *Fragaria chiloensis* et du *Fragaria virginiana*. La petite fraise sauvage correspond à l'espèce *Fragaria virginiana.*

56. framboise n. f.
raspberry
Rubus spp.

Note. — Le terme *framboise* est un générique habituellement utilisé pour dénommer les différentes variétés de ce fruit.

57. framboise jaune n. f.
yellow raspberry
Rubus idaeus

Note. — La framboise jaune est parfois désignée sous l'appellation *framboise blanche.*
V. a. **framboise**

58. framboise noire n. f.
black raspberry
Rubus occidentalis
V. a. framboise

59. framboise pourpre n. f.
purple raspberry
Rubus neglectus;
Rubus occidentalis x Rubus idaeus
V. a. framboise

60. framboise rouge n. f.
red raspberry
Rubus idaeus;
Rubus idaeus var. *strigosus*
V. a. framboise

61. fruit à pain
Syn. de **fruit de l'arbre à pain**

62. fruit de l'arbre à pain n. m.;
   fruit à pain n. m.
breadfruit
Artocarpus altilis;
Artocarpus communis
Note. — Le fruit de l'arbre à pain est verdâtre et il possède une chair blanche, riche en fécule. Lorsqu'il a atteint sa pleine maturité, le fruit a une saveur douce qui rappelle la mie de pain frais, avec un goût subtil d'artichaut. Il doit son nom à sa forte teneur en amidon, qui permet de le cuire comme du pain.

63. fruit de la Passion n. m.
Passion fruit
V. o. *passionfruit*
Passiflora spp.
Notes. — 1. Le terme *fruit de la Passion* est un générique qui désigne plusieurs variétés de ce fruit.
2. Les variétés les plus connues sont la **grenadille pourpre**, la **grenadille commune** (orange) et le **maracuya** (jaune). Ces appellations varient selon la provenance du fruit.
3. Le fruit de la Passion possède une coque dure et coriace, non comestible, contenant des douzaines de petites graines noires comestibles enfermées dans une chair parfumée, juteuse, acidulée et gélatineuse.

64. fruit du rosier n. m.
rose hip;
hip;
rose haw

Rosa pomifera;
Rosa villosa;
Rosa rugosa;
Rosa canina;
Rosa eglanteria
Note. — L'appellation *fruit d'églantier* apparaît sur les étiquettes de produits importés de France où l'on appelle *églantiers* tous les rosiers sauvages.

G

65. gadelle
Syn. de **groseille à grappes**

66. gadelle blanche
Syn. de **groseille blanche à grappes**

67. gadelle rouge
Syn. de **groseille rouge à grappes**

68. goyave n. f.
guava
Psidium guayava
Note. — La goyave possède une peau comestible verte qui devient jaune lorsque le fruit est à maturité. Sa chair blanche, jaune, rose ou rouge est très parfumée et a un léger goût de fraise. La partie centrale du fruit contient des petits pépins durs et comestibles. (Figure 7.)

69. graine de tournesol n. f.
sunflower seed
Helianthus annuus

70. grenade n. f.
pomegranate
Punica granatum
Note. — La grenade a une pelure mince, coriace et lisse, de couleur jaune à pourpre. Sa chair rouge et juteuse contient une multitude de petits pépins enfermés dans six sections délimitées par une membrane blanche et amère, non comestible. Sa chair est à la fois sucrée et acidulée. (Figure 8.)

71. grenadille commune n. f.
sweet granadilla
Passiflora ligularis
V. a. **fruit de la Passion**

72. grenadille pourpre n. f.
purple granadilla
Passiflora edulis
Note. — La grenadille pourpre a un goût parfumé et a moins de jus que le maracuya.
V. a. **fruit de la Passion**

73. griotte n. f.
acid cherry;
sour cherry;
morello
Prunus cerasus
V. a. **cerise**

74. groseille à grappes n. f. ;
     gadelle n. f.
currant 1
Ribes spp.
Notes. — 1. En France et en Belgique, on appelle *groseille* ce qu'au Québec on dénomme *gadelle*. Il s'agit en fait de la groseille à grappes. Cela entraîne une certaine confusion puisque, au Canada et au Québec, le terme *groseille* sans déterminant fait référence à la groseille à maquereau.
2. Dans les ouvrages de botanique et d'horticulture, les groseilliers sont toujours classés de la façon suivante : les groseilliers à grappes et les groseilliers à maquereau ou épineux. La groseille à grappes (ou gadelle), qu'elle soit rouge ou blanche, est le fruit du groseillier à grappes tandis que la groseille à maquereau est le fruit du groseillier à maquereau ou épineux.

75. groseille à maquereau n. f.
gooseberry
Ribes grossularia
V. a. **groseille à grappes**

76. groseille blanche à grappes n. f. ;
     gadelle blanche n. f.
white currant
Ribes sativum;
Ribes vulgare
V. a. **groseille à grappes**

77. groseille rouge à grappes n. f. ;
     gadelle rouge n. f.
red currant
Ribes rubrum;
Ribes sativum;
Ribes vulgare
V. a. **groseille à grappes**

78. guigne n. f.
sweet cherry 2;
mazzard;
heart cherry
Prunus avium var. juliana
V. a. **cerise**

J

79. jambose n. f.
java apple
Eugenia javanica
Note. — La jambose est en forme de cloche caractérisée par une cavité intérieure ne contenant aucun noyau. Sa peau est fine, cireuse et translucide. Le fruit se mange cru, en confiture ou en gelée.

80. jaque n. m.
jackfruit
V. o. *jakfruit;*
jack
Artocarpus heterophyllus;
Artocarpus integrifolius
Note. — Le jaque a une forme allongée; il peut peser jusqu'à trente à quarante kilos et il contient de grosses graines rangées le long d'un axe central. Sa peau est un peu caoutchouteuse; sa chair jaunâtre se détache en forme de petite bourse entrouverte. (Figure 9.)

81. jujube n. m.
jujube;
Chinese date
Ziziphus jujuba
Note. — Le jujube a la taille d'une olive ou d'une datte. Il contient un noyau allongé très dur comprenant deux parties dont une renferme la graine. Sa peau rouge brunâtre est lisse, brillante et coriace. Sa chair blanchâtre ou verdâtre est sucrée et aigrelette.

K

82. kaki n. m.
persimmon;
kaki
Diospyros kaki

Notes. — 1. Ce fruit est aussi connu sous les appellations *plaquemine* et *fruit de Sharon*.
2. Les variétés de kakis les plus connues sont le **hachiya** et le **fuyu**. Le hachiya a la forme d'un cœur et doit être consommé très mûr, tandis que le fuyu, en forme de tomate, peut être mangé lorsqu'il est encore ferme. (Figure 10.)

83. kiwi n. m.
kiwifruit
V. o. *kiwi fruit;*
kiwi;
Chinese gooseberry
Actinidia chinensis

Notes. — 1. Les termes *groseille chinoise* et *groseille de Chine* sont déconseillés, le kiwi n'étant pas une groseille. Ce fruit est aussi connu sous l'appellation *actinidia*.
2. Le kiwi, originaire du sud de la Chine, a d'abord été connu sous les noms de *groseille chinoise* ou *groseille de Chine*. Au début des années 1900, on en implanta la culture en Nouvelle-Zélande mais ce n'est qu'à partir de 1953, à cause de son apparence velue qui rappelle celle d'un oiseau de ce pays, qu'on nomma le fruit *kiwi*. (Figure 11.)

84. kumquat n. m.
kumquat
V. o. *cumquat*
Fortunella polyendra

Note. — Le kumquat ressemble, selon les variétés, à une très petite orange légèrement allongée. Son écorce jaune doré à orangé pâle est comestible car elle est tendre, mince et sucrée. Sa chair acidulée est remplie de pépins.

L

85. lime n. f.
lime
Citrus aurantifolia

Note. — La lime et la limette sont souvent confondues, pourtant elles sont différentes. Ces deux fruits ont une écorce verte mais celle de la lime est plus épaisse et la chair de cette dernière est moins juteuse et plus amère.

86. limette n. f.
sweet lime
Citrus limetta
V. a. **lime**

87. litchi n. m.
lychee;
litchi nut;
litchi
Litchi chinensis;
Nephelium litchi

Notes. — 1. Le terme *cerise de Chine* est déconseillé car cette appellation porte à confusion, le litchi n'étant pas une cerise.
2. Le litchi est recouvert d'une coque assez mince, rugueuse à l'extérieur et lisse à l'intérieur, qui s'enlève très facilement. Lorsque le fruit a atteint sa pleine maturité, son écorce devient rouge ou rosée; elle prend une couleur terne et brunâtre à mesure que le fruit vieillit. Sa chair blanche et translucide est sucrée, ferme et juteuse. Au centre du fruit se trouve un noyau dur, lisse et brunâtre, non adhérent et non comestible. (Figure 12.)

88. litchi chevelu
Syn. de **ramboutan**

89. longane n. m.
longan
V. o. *lungan*
Euphoria longana;
Nephelium longana

Notes. — 1. Le fruit est aussi connu sous l'appellation *œil-de-dragon*.
2. La longane est un fruit rond qui se rapproche du litchi; en effet, leur chair se ressemble en apparence et en saveur.

M

90. mandarine n. f.
mandarin orange;
mandarin
V. o. *mandarine*
Citrus reticulata

Note. — La mandarine contient de nombreux pépins et son écorce orangée et mince est aisément détachable. Les variétés de mandarines les plus connues sont la **kinnow**, la **royale** et la **satsuma**.

91. mangoustan n. m.
mangosteen
Garcinia mangostana

Notes. — 1. Ce fruit est aussi connu sous l'appellation *mangouste*.
2. Le mangoustan a la grosseur d'une mandarine. Sa peau non comestible, épaisse et ferme, violette à l'extérieur et rosée à l'intérieur, durcit à mesure que le fruit vieillit. Sa chair d'un blanc perlé est composée de cinq à six sections dont une ou deux contiennent un noyau rosé comestible ; elle a une saveur exquise qui rappelle à la fois l'abricot, l'ananas et l'orange.

92. mangue n. f.
mango
Mangifera indica

Note. — La mangue est généralement ovale. Sa chair parfois fibreuse varie de jaune pâle à orange foncé et contient un noyau adhérent, large et plat. Sa peau mince, qui a la texture d'un cuir fin, peut être verte et jaune, teintée d'orange ou de rouge. (Figure 13.)

93. maracuya n. m.
maracuya
Passiflora edulis

V. a. **fruit de la Passion**

94. marron n. m. ;
châtaigne n. f.
sweet chestnut;
chestnut
Castanea sativa

Note. — Le terme *marron* est le nom usuel donné au fruit comestible du châtaignier cultivé.

95. marron d'Inde n. m.
horse chestnut
Aesculus hippocastanum

Note. — Le marron d'Inde est le fruit non comestible du marronnier d'Inde.

V. a. **marron**

96. melon n. m.
melon
Cucumis melo

Note. — Les melons les plus connus sont le **cantaloup**, le **melon brodé**, le **melon d'eau**, le **melon à cornes**, le **melon miel Honeydew**, le **canari**, le **casaba**, le **crenshaw**, le **perse** et le **santa claus**.

97. melon à cornes n. m.
horned melon
Cucumis metuliferus

Notes. — 1. Le terme *Kiwano*, souvent employé pour désigner le melon à cornes, est déconseillé parce qu'il s'agit d'une marque de commerce.
2. Le melon à cornes possède une pelure dure et hérissée de protubérances épineuses. Sa chair vert émeraude, juteuse et appétissante, est remplie de graines tendres et comestibles qui rappellent celles du concombre. (Figure 14.)

98. melon brodé n. m.
muskmelon;
netted melon
Cucumis melo var. *reticulatus*

Note. — Le melon brodé doit son appellation au fait que son écorce est recouverte de lignes sinueuses rappelant une broderie en relief ; il est rond et muni de côtes.

99. melon d'eau n. m. ;
pastèque n. f.
watermelon
V. o. *water melon*
Citrullus lanatus;
Citrullus vulgaris

Note. — Le melon d'eau peut être rond, elliptique ou sphérique ; son écorce épaisse mais fragile est verte et plus ou moins foncée, souvent tachetée ou rayée. Sa chair généralement rouge peut aussi être blanche, rose ou jaune ; sa consistance diffère de celle des autres espèces de melons par le fait qu'elle est plus friable car plus aqueuse et plus désaltérante. La plupart des variétés contiennent de nombreuses graines lisses qui peuvent être noires, brunes, blanches, vertes, jaunes ou rouges. Sa haute teneur en eau (93 % à 95 %) justifie son appellation.

100. mûre 1 n. f.
mulberry
Morus spp.

Note. — Le terme *mûre* désigne les fruits des *Morus,* les fruits noirs des *Rubus* et certains fruits rouges des *Rubus* dont la mûre arctique et la mûre de Logan.

101. mûre 2 n. f.
blackberry 1
Rubus spp.

V. a. **mûre 1**

102. mûre arctique n. f.
arctic bramble
Rubus arcticus
V. a. **mûre 1**

103. mûre blanche n. f.
white mulberry
Morus alba
V. a. **mûre 1**

104. mûre de Boysen n. f.
Boysenberry
Rubus loganobaccus;
Rubus ursinus var. *loganobaccus*
V. a. **mûre 1**

105. mûre de Lawton n. f.
Lawtonberry
Rubus loganobaccus;
Rubus ursinus var. *loganobaccus*
V. a. **mûre 1**

106. mûre de Logan n. f.
Loganberry
Rubus loganobaccus;
Rubus ursinus var. *loganobaccus*
V. a. **mûre 1**

107. mûre de ronce
Syn. de **mûre sauvage**

108. mûre noire n. f.
black mulberry
Morus nigra
V. a. **mûre 1**

109. mûre rouge n. f.
red mulberry;
American mulberry
Morus rubra
V. a. **mûre 1**

110. mûre sauvage n. f.;
  mûre de ronce n. f.
wild blackberry;
blackberry 2
Rubus spp.
V. a. **mûre 1**

111. myrtille n. f.
bilberry;
huckleberry
Vaccinium myrtillus
Note. — La myrtille ressemble au bleuet mais elle provient d'une espèce différente.

N

112. nectarine n. f.
nectarine
Prunus persica var. *nectarina*
Note. — La nectarine est une pêche à peau lisse et à noyau libre, alors que le brugnon est une pêche à peau lisse et à noyau adhérent. Ces deux variétés, qui ne peuvent être différenciées à l'œil, sont commercialisées sous l'appellation *nectarine.*

113. nèfle d'Amérique
Syn. de **sapotille**

114. nèfle du Japon n. f.;
  bibace n. f.
Japanese medlar;
Japanese plum;
Chinese medlar;
loquat;
Biwa;
nispero
Eriobotrya japonica
Note. — La nèfle du Japon a la forme d'une poire. Sa pelure mince, lisse et brillante varie de jaune pâle à orange foncé et est parfois couverte d'un duvet blanchâtre. Sa chair juteuse, tendre et ferme varie de crème à orangé. Le fruit contient environ quatre pépins luisants, non comestibles. Le goût sucré de la nèfle du Japon rappelle celui des cerises et des prunes. (Figure 15.)

115. noisette n. f.
hazelnut;
cobnut
Corylus americana

116. noix n. f.
walnut
Juglans spp.
Note. — Le terme *noix de Grenoble,* très utilisé au Canada et au Québec, est déconseillé pour dénommer les différentes sortes de noix que l'on retrouve sur le marché car il s'agit d'une appellation d'origine.

117. noix de cajou
Syn. de **cajou**

118. noix de coco n. f.
coconut
Cocos nucifera
(Figure 16.)

ILLUSTRATIONS

1. cantaloup (32)

2. carambole (33)

3. chérimole (41)

4. coing (44)

5. durion (51)

6. figue de Barbarie (54)

7. goyave (68)   **8. grenade (70)**

9. jaque (80)

10. kaki (82)

11. kiwi (83)

12. litchi (87)

13. mangue (92)

14. melon à cornes (97)

15. nèfle du Japon (114)

16. noix de coco (118)

17. papaye (129)

18. pepino (132)

19. physalis (133)

20. pomélo (140)

21. pomme-poire (145)

22. ramboutan (159)

23. salak (161)

24. tamarillo (169)

25. ugli (173)

119. noix de macadamia n. f.
Queensland nut;
macadamia nut
Macadamia spp.

Note. — Ce fruit est aussi connu sous les appellations *noix de macadam* et *noix du Queensland.*

120. noix de pécan
Syn. de **pacane**

121. noix du Brésil n. f.
Brazil nut
V. o. *Brazilnut*
Bertholletia excelsa

Note. — La noix du Brésil est formée d'une amande jaunâtre, croquante et savoureuse qui est recouverte d'une mince peau brunâtre et qui adhère à une coque d'un brun rougeâtre, rude, fibreuse et dure. La noix du Brésil possède trois faces irrégulières formant un motif de triangle (ressemblant un peu à un quartier d'orange).

O

122. orange n. f.
orange
Citrus spp.

Note. — Il existe deux sortes d'oranges, soit l'orange douce et l'orange amère.

123. orange amère n. f.
bitter orange;
sour orange
Citrus aurantium;
Citrus bigaradia

Notes. — 1. Ce fruit est aussi connu sous les appellations *bigarade* et *orange de Séville.*
2. L'orange amère a une écorce verte et rugueuse; sa chair acide et amère est surtout mise en conserve ou préparée en marmelade.
V. a. **orange**

124. orange douce n. f.
sweet orange
Citrus sinensis

Notes. — 1. L'orange douce est le fruit que tout le monde connaît et est le plus souvent dénommée *orange* sans déterminant.

2. L'orange douce est juteuse, sucrée et acidulée. Les variétés les plus connues sont la **navel,** la **valence,** la **temple** et l'**hamlin.**
V. a. **orange**

125. orange sanguine n. f.
blood orange
Citrus sinensis

Note. — L'orange sanguine possède une écorce et une chair parsemées de larges taches rouge sang.

126. ortanique n. f.
ortanique
Citrus spp.

Notes. — 1. Le terme *ortanique* a été créé à partir des termes suivants: O*Range,* TAN*gerine* et Jama*ÏQUE.*
2. L'ortanique originaire de la Jamaïque est un croisement naturel de l'orange et de la tangerine, alors que l'ortanique originaire du Maroc est un croisement de l'orange et de la clémentine.

P

127. pacane n. f.;
noix de pécan n. f.
pecan nut
Carya pecan;
Carya illinoinensis;
Carya olivaeformis

128. pamplemousse n. m.
grapefruit
Citrus paradisi
V. a. **pomélo**

129. papaye n. f.
papaya;
pawpaw 2
Carica papaya

Note. — Le terme anglais *pawpaw* peut désigner deux fruits différents, soit la papaye et l'asimine; il est plus juste, en français, de rendre *papaya* par *papaye* et *pawpaw* par *asimine.* (Figure 17.)

130. pastèque
Syn. de **melon d'eau**

131. pêche n. f.
peach
Prunus persica

Note. — La pêche a la peau duveteuse et un noyau libre. Il existe aussi une variété de pêche à peau duveteuse et à noyau adhérent dénommée *pavie*. Ces deux variétés, qui ne peuvent être différenciées à l'œil, sont commercialisées sous l'appellation *pêche*.

132. pepino n. m.
pepino
Solanum muricatum

Note. — Le pepino a une forme qui ressemble à une aubergine. Son écorce passe de vert pâle à jaune crème rayé de violet. Sa chair jaune et ferme est légèrement sucrée et sa texture ressemble à celle du melon bien que sa saveur soit plus douce que celui-ci. Le pepino contient des pépins tendres et comestibles. (Figure 18.)

133. physalis n. m.
physalis
Physalis peruviana

Notes. — 1. Ce fruit est aussi connu sous l'appellation *alkékenge*.
2. Le physalis est une petite baie jaune à la chair juteuse et pleine de petits pépins tendres et comestibles. Lorsque le fruit arrive à maturité, il est très sucré et possède un léger arrière-goût acidulé. (Figure 19.)

134. pigne
Syn. de **pignon**

135. pignon n. m.;
pigne n. f.
pine seed;
pine nut;
pignoli
Pinus pinea

Note. — Le pignon est petit, allongé et de couleur crème; il est protégé par une coque dure. De texture molle, il a une saveur délicate plus ou moins résineuse selon les variétés.

136. pimbina n. m.
highbush cranberry
Viburnum americanum;
Viburnum trilobum;
Viburnum edule

Notes. — 1. Le terme *pimbina* est d'origine algonquine.

2. On cueille le pimbina lorsque les gelées l'ont rendu translucide et que l'action du froid a transformé sa chair en la rendant plus juteuse. La saveur de ce fruit est presque identique à celle de la canneberge.

137. pistache n. f.
pistachio nut;
pistachio
Pistacia vera

138. pitahaya n. m.
pitahaya;
pitaya
Hylocereus ocamponis

Notes. — 1. Ce fruit est aussi connu sous l'appellation *pitaya*.
2. Le pitahaya est rouge ou jaune et, tout comme la figue de Barbarie, il pousse sur un cactus.

139. poire n. f.
pear
Pyrus communis

Note. — Les variétés de poires les plus connues sont l'**anjou**, la **bartlett**, la **bosc**, la **comice**, la **rocha** et la **passe-crassane**.

140. pomélo n. m.
pomelo
V. o. *pummelo;*
shaddock
Citrus grandis

Note. — Le pomélo est considéré comme l'ancêtre du pamplemousse qui est probablement le résultat d'une mutation naturelle. Le pomélo possède une écorce parfumée et très épaisse. Sa pelure est habituellement jaune, teintée de vert ou de rose et peut être lisse ou bosselée. Sa chair juteuse, blanche, jaune pâle ou rose est généralement plus sucrée que celle du pamplemousse. La plupart des variétés de pomélos contiennent des pépins. (Figure 20.)

141. pomme n. f.
apple
Malus spp.

Note. — Il y a deux sortes de pommes, la pomme de table et la pomme à cidre. Les variétés de pommes de table les plus connues sont la **cortland**, la **délicieuse rouge**, la **golden**, la **granny smith**, la **mcIntosh**, la **lobo**, la **spartan**, la **melba**, la **jersey-mac** et la **fuji**.

142. pomme à cidre n. f.
cider apple
Malus acerba
V. a. **pomme**

143. pomme cannelle n. f.;
 anone écailleuse n. f.
sugar apple;
sweet sop
Annona squamosa
Note. — La pomme cannelle, en forme de cœur, rappelle un cône de pin ou un petit artichaut car elle est hérissée de protubérances. Sa chair blanc crème est un peu granuleuse; sa saveur douce pourrait rappeler de loin la cannelle et la pâte d'amandes. Le fruit contient de nombreuses petites graines noires, aplaties et brillantes.

144. pomme de table n. f.
eating apple
Malus communis
Note. — La pomme de table est le fruit que tout le monde connaît et est habituellement dénommée *pomme* sans déterminant.
V. a. **pomme**

145. pomme-poire n. f.
apple pear;
shalea
Pyrus serotina;
Pyrus pyrifolia
Notes. — 1. La pomme-poire est souvent dénommée *poire asiatique* et *poire orientale.* 2. La pomme-poire possède une pelure fine et lisse; sa chair est remarquablement juteuse, rafraîchissante, douce et sucrée, rappelant le goût de la poire. Les variétés les plus connues sont la **nijisseiki (XXᵉ siècle)**, la **shinseiki (siècle nouveau)**, la **hosui**, la **kosui**, la **shinsui**, la **kikusui** et la **shinko**. (Figure 21.)

146. pomme-rose n. f.
rose apple
Syzygium jambos;
Eugenia jambos
Notes. — 1. Ce fruit est aussi connu sous les appellations *jamerose* et *pomme de rose.* 2. La pomme-rose est de forme ovoïde et de taille moyenne. Le fruit est généralement vert pâle et est parfois teinté de jaune ou de rose; fraîchement coupé, il dégage un parfum de rose.

147. pommette n. f.
crab apple
V. o. *crabapple*
Malus baccata;
Pyrus baccata var. *sibirica*
Note. — Le terme *pomme sauvage* est déconseillé puisque la pommette est généralement cultivée.

148. prune n. f.
plum
Prunus spp.
Note. — Les variétés de prunes les plus connues sont la **reine-claude**, la **mirabelle**, la **quetsche**, la **black beaut**, la **friard**, la **laroda**, la **santa rosa** et la **simka**.

149. prune à pruneaux n. f.
prune plum;
prune
Prunus domestica

150. pruneau n. m.
dried prune
Prunus domestica

151. prunelle n. f.
sloe
Prunus spinosa
Note. — La prunelle est le fruit du prunier sauvage; elle est de couleur bleuâtre à l'automne. On attend généralement qu'elle ait subi les premiers gels pour la cueillir, son âpreté s'en trouvant diminuée. On l'utilise dans la préparation des eaux-de-vie ou des liqueurs.

R

152. raisin n. m.
grape 1
Vitis spp.
Note. — Il existe plusieurs sortes de raisins, par exemple le raisin à vin, le raisin de Corinthe, le raisin de Smyrne, le raisin sec et le raisin de table.

153. raisin à vin n. m.;
 raisin de cuve n. m.
wine grape
Vitis vinifera;
Vitis labrusca
V. a. **raisin**

154. raisin de Corinthe n. m.
dried currant;
currant 2
Vitis vinifera
V. a. **raisin**

155. raisin de cuve
Syn. de **raisin à vin**

156. raisin de Smyrne n. m.
Sultana raisin;
Sultana
Vitis vinifera
V. a. **raisin**

157. raisin de table n. m.
table grape;
grape 2
Vitis vinifera;
Vitis labrusca
Notes. — 1. Le raisin de table est le fruit que tout le monde connaît et est habituellement dénommé *raisin* sans déterminant.
2. En France, les raisins verts sont appelés *raisins blancs* et les raisins bleus sont dénommés *raisins noirs.*
3. Les variétés de raisins de table les plus connues sont les raisins verts avec pépins (l'**alméria,** le **calméria** et le **muscat**), les raisins verts sans pépins (le **perlette** et le **thompson**), les raisins rouges avec pépins (le **cardinal**), les raisins rouges sans pépins (le **flame** et le **ruby**), les raisins bleus avec pépins (le **concorde,** le **ribier** et le **tokay**) et les raisins bleus sans pépins (l'**exotique**).
V. a. **raisin**

158. raisin sec n. m.
dried raisin;
raisin
Vitis vinifera
V. a. **raisin**

159. ramboutan n. m.;
litchi chevelu n. m.
rambutan
Nephelium lappaceum
Note. — Le ramboutan est muni de nombreuses pointes crochues qui le font ressembler à un oursin. Son apparence hérissée est à l'origine de son nom car *rambout* signifie « cheveux » en malais. Le ramboutan est un fruit ovoïde ou sphérique de petite taille. Sa coquille habituellement rouge ou pourpre est fragile et se fend facilement. Sa pulpe blanchâtre et translucide a une consistance similaire à celle du litchi : elle recouvre une unique graine plate et pointue, non comestible. Selon les variétés, sa saveur est tantôt sucrée, douce et parfumée, tantôt aigrelette ou acidulée. (Figure 22.)

160. rhubarbe n. f.
rhubarb;
pie plant
Rheum rhaponticum

S

161. salak n. m.
salak
Zalacca edulis
Note. — Le salak a la taille d'une petite prune; il possède une mince peau d'un brun rougeâtre, écailleuse et brillante qui ressemble à une peau de serpent. Sa chair ivoire, ferme et plutôt sèche, est divisée en trois lobes, chacun renfermant une graine brune et brillante. Sa saveur, très variable, peut être amère ou légèrement acidulée. (Figure 23.)

162. sapote n. f.
marmalade plum;
sapota;
sapote;
mamey plum
Pouteria sapota;
Calocarpum mammosum;
Calocarpum sapota
Note. — La sapote est souvent confondue avec la sapotille. Cette erreur s'explique par une certaine ressemblance entre ces fruits. Les deux sont sucrés et ont une peau un peu rugueuse mais celle de la sapote est plus dure et sa chair de couleur saumon, parfois rouge, est plus moelleuse.

163. sapote blanche n. f.
white sapote
Casimiroa edulis
V. a. **sapote**

164. sapote noire n. f.
black sapote
Diospyros ebenaster
V. a. **sapote**

165. sapotille n. f. ;
  nèfle d'Amérique n. f.
sapodilla
Achras sapota

Notes. — 1. Le terme *sapote,* souvent utilisé pour dénommer la sapotille, est déconseillé car il s'agit de deux fruits différents. 2. La sapotille a généralement la taille et la forme d'un œuf. Sa peau dorée, cannelle ou rouille est fine et un peu rugueuse. Sa chair très sucrée est un peu granuleuse comme celle d'une poire et sa couleur varie de miel à brun.

166. sorbe d'Amérique n. f. ;
  corme 1 n. f.
American mountain ash fruit
Sorbus americana;
Pyrus americana

167. sorbe d'Europe n. f. ;
  corme 2 n. f.
European mountain ash fruit;
rowanberry
Sorbus aucuparia;
Pyrus aucuparia

168. sureau
  Syn. de **baie de sureau**

169. tamarillo n. m.
tree tomato
Cyphomandra betacea

Notes. — 1. Ce fruit est aussi connu sous les appellations *tamarille* et *tomate en arbre.* 2. Le tamarillo a la taille d'un œuf, une peau luisante et lisse. Sa couleur varie de l'orangé pâle au rouge foncé. Sa chair contient des graines comestibles. (Figure 24.)

170. tamarin n. m.
tamarind
Tamarindus indica

Note. — Le tamarin est enfermé dans des gousses d'un brun rougeâtre et de forme presque cylindrique. Chacune abrite de une à douze graines dures et luisantes, recouvertes d'une chair brune, à la fois sucrée et très acidulée.

171. tangelo n. m.
tangelo
Citrus paradisi x Citrus reticulata

Note. — Le tangelo est le résultat du croisement de la tangerine et du pomélo. De grosseur et de couleur intermédiaires entre ces deux espèces, il peut être consommé comme fruit frais mais il est surtout utilisé pour la fabrication de jus. Les variétés de tangelos les plus connues sont le **minneola,** l'**orlando** et le **seminole.**

172. tangerine n. f.
tangerine
Citrus reticulata x Citrus aurantium

Note. — La tangerine, comme la clémentine, est le résultat du croisement de la mandarine et de l'orange amère (bigarade). La tangerine se différencie de la clémentine par son écorce rougeâtre qui est plus épaisse et moins adhérente et son nombre inférieur de pépins. Les variétés de tangerines les plus connues sont la **dancy,** la **fairchild** et la **murcott.**

U

173. ugli n. m.
ugli fruit

Note. — L'ugli possède une peau rouge jaunâtre ou orange foncé qui est ridée, épaisse et non adhérente. Sa chair de couleur jaune orangé est juteuse, plus sucrée que celle d'un pomélo, légèrement acide et presque dépourvue de pépins. On croit que l'ugli résulte du croisement d'un pomélo ou d'un pamplemousse et d'une tangerine. (Figure 25.)

Bibliographie

1. OUVRAGES ET DICTIONNAIRES SPÉCIALISÉS

BAILEY, Liberty Hyde, et Ethel Zoe BAILEY. *Hortus Third : A Concise Dictionary of Plants Cultivated in the United States and Canada,* New York, Macmillan Publishing Company; London, Collier Macmillan Publishers, 1976, 1290 p.

BONNASSIEUX, Marie-Pierre. *Tous les fruits comestibles du monde,* Paris, Bordas, c1988, 208 p.

BROWN, Marlene. *International Produce Cookbook & Guide : Recipes Plus Buying & Storage Information,* Los Angeles, Price Stern Sloan, c1989, 160 p.

The Buying Guide for Fresh Fruits, Vegetables, Herbs and Nuts, Hagerstown, MD, Blue Goose, 1980, 136 p.

COURTINE, Robert J., ss la dir. de. *Larousse gastronomique,* éd. ent. remaniée, Paris, Larousse, c1984, 1142 p.

COYLE, L. Patrick. *The World Encyclopedia of Food,* New York, Facts on File, c1982, 790 p.

CRAPLET, Camille, et Josette CRAPLET-MEUNIER. *Dictionnaire des aliments et de la nutrition,* Paris, Le Hameau, c1979, 493 p.

Dictionnaire de l'académie des gastronomes, Paris, Prisma, 1962, 2 t., 890 p.

EHLERT, Lois. *Eating the Alphabet : Fruits & Vegetables from A to Z,* San Diego (Californie), Harcourt Brace Jovanovich, c1989, s. p.

EISEMAN, Fred, et Margaret EISEMAN. *Fruits of Bali,* Berkeley (Californie), Periplus, c1988, 60 p.

FLORIN, Ulrich, et Harald HAUPT. *Fruits and Vegetables : fruits et légumes : dictionnaire en trois langues du traitement des fruits et légumes,* Hamburg, 1987, 455 p.

FRACHON, Geneviève. *Les fruits, délices du jardin,* ATP Chamalières et Éditions J'ai lu, Paris, s. d., 143 p.

Fruits, fruits d'outre-mer, Paris, Société d'éditions techniques continentales, vol. 25, n° 10, oct. 1970.

Fruits et légumes exotiques, adapt. française d'Anne-Marie Thuot, Paris, Gründ, c1985, 58 p.

Fruits et légumes exotiques du monde entier, Saint-Lambert (Québec), Éditions Héritage, c1990, 256 p.

GINNS, James Herbert. *Compendium of Plant Disease and Decay Fungi in Canada 1960-1980,* n° 1813, Agriculture Canada, 1986, 416 p.

GOODE, John. *Les fruits,* Montréal, Bruxelles, Éditions de l'Homme, 1974, 240 p.

GRISVARD, Paul, et autres. *Le Bon jardinier,* Encyclopédie horticole, 152e éd., ent. ref., Paris, Maison Rustique, c1964, 2 t., 1667 p.

GUIERRE, Georges. *Petite encyclopédie des fruits : les fruits et votre santé,* Paris, Le Courrier du livre, c1975, 192 p.

GUILLAUME, Monique, et Yvonne De BLAUNAC. *La passion des fruits exotiques et des légumes,* avec le concours d'Élisabeth Scotto, Paris, Flammarion, c1989, 167 p.

JEANNET, Claude. *Fruits des tropiques : français, english, italiano,* Fort-de-France (Martinique), Éditions Exbrayat, s. d., s. p.

JOHNS, Leslie, et Violet STEVENSON. *The Complete Book of Fruits,* London (Angleterre), Angus & Robertson, 1979, 309 p.

MARIE-VICTORIN, frère. *Flore laurentienne,* 2ᵉ éd. ent. rev. et mise à jour par Ernest Rouleau, Montréal, Presses de l'Université de Montréal, 1964, 925 p.

MONETTE, Solange. *Dictionnaire encyclopédique des aliments,* Montréal, Québec/Amérique, c1989, 607 p.

NAGY, Steven, et Philip E. SHAW. *Tropical and Subtropical Fruits : Composition, Properties and Uses,* Westpost (Connecticut), AVI Publishing Company, c1980, 570 p.

PIJPERS, Dick, Jac. G. CONSTANT et Kees JANSEN. *The Complete Book of Fruits : an Illustrated Guide to over 400 Species and Varieties of Fruits from all over the World,* New York, Gallery Books, W. H. Smith, 1986, 125 p.

RADECKA, Helena. *The Fruit & Nut Book,* New York, McGraw-Hill, c1984, 256 p.

SAMSON, J. A. *Tropical Fruits,* London (New York), Longman, 1980, 250 p.

SCHNEIDER, Elizabeth. *Uncommon Fruits & Vegetables : A Commonsense Guide,* New York, Harper Sc Row, c1986, s. p.

THÉMIS, Jean-Louis. *Guide des fruits et légumes exotiques et méconnus,* Montréal, Exobec, 1987, 146 p.

2. NORMES

ASSOCIATION FRANÇAISE DE NORMALISATION. *Fruits : nomenclature,* Paris, AFNOR, 1973, 5 p. (Norme française enregistrée, NF V 00-200)

ASSOCIATION FRANÇAISE DE NORMALISATION. *Fruits et légumes : nomenclature morphologique et structurale,* Paris, AFNOR, c1981, 22 p. (Fascicule de documentation, NF V 00-202)

INSTITUT NATIONAL DE LA NORMALISATION ET DE LA PROPRIÉTÉ INDUSTRIELLE. *Fruits : nomenclature. Fruits : First List,* Tunis, INNORPI, 1984, 21 p. (Norme tunisienne, 20)

ORGANISATION DE COOPÉRATION ET DE DÉVELOPPEMENT ÉCONOMIQUES. *Normalisation internationale des fruits et légumes : International Standardization of Fruits and Vegetables : Citrus Fruit,* Paris, OCDE, 1980, 103 p.

ORGANISATION EUROPÉENNE DE COOPÉRATION ÉCONOMIQUE. AGENCE EUROPÉENNE DE PRODUCTIVITÉ. *Répertoire des termes en usage dans le marché des fruits et légumes,* Paris, OECE, 1961, 47 p.

ORGANISATION INTERNATIONALE DE NORMALISATION. *Fruits : Nomenclature : Second List. Fruits : nomenclature : seconde liste,* 1st ed., Genève, ISO, 1990. (International standard, ISO 1990/2-1985 (E/F/R))

ORGANISATION INTERNATIONALE DE NORMALISATION. COMITÉ TECHNIQUE ISO/TC 34. *Spices and Condiments Nomenclature, First List (English-French-Russian). Épices nomenclature. Première liste (anglais-français-russe),* Genève, ISO, 1968, 19 p. (ISO recommendation, 676-1968 (E/F/R))

ORGANISATION INTERNATIONALE DE NORMALISATION. COMITÉ TECHNIQUE ISO/TC 34. *Fruits and Vegetables : Morphological and Structural Terminology : (English-French). Fruits et légumes : terminologie morphologique et structurale : (anglais-français),* Genève, ISO, 1982. (International Standard = Norme internationale, ISO 1956/1-1982 (E/F))

ORGANISATION INTERNATIONALE DE NORMALISATION. COMITÉ TECHNIQUE ISO/TC 34. *Fruits : Nomenclature : First List. Fruits : nomenclature : première liste,* 1st ed., Genève, ISO, 1982. (International standard, ISO 1990/1-1982 (E/F/R))

Index des termes français et des autres termes cités en note

raisin blanc, 157
raisin bleu, 157
raisin noir, 157
raisin vert, 157
reine-claude, 148
ribier, 157
rocha, 139
rouge colorado, 21
royale, 90
ruby, 157

S

santa claus, 96
santa rosa, 148
sapote, 165
Saskatoon, 7
satsuma, 90
seminole, 171
shinko, 145

shinseiki, 145
shinsui, 145
simka, 148
spartan, 141

T

tamarille, 169
taxo, 49
tomate en arbre, 169
temple, 124
thompson, 157
tokay, 157

V

valence, 124

Index des termes anglais

D

date, 50
dried currant, 154
dried prune, 150
dried raisin, 158
durian, 51

E

earthnut, 11
eating apple, 144
elderberry, 19
European mountain ash fruit, 167

F

feijoa, 52
fig, 53
filbert, 16

G

giant granadilla, 22
goober, 11
gooseberry, 75
grape 1, 152
grape 2, 157
grapefruit, 128
ground cherry, 39
groundnut, 11
guava, 68

H

hard-fleshed cherry, 25
haw, 37
hawthorn berry, 37
hazelnut, 115
heart cherry, 78
highbush cranberry, 136
hip, 64
horned melon, 97
horse chestnut, 95
huckleberry, 111

J

jack, 80
jackfruit, 80
jakfruit, 80
Japanese medlar, 114
Japanese plum, 114
java apple, 79
jujube, 81
June-berry, 4

K

kaki, 82
kiwi, 83
kiwi fruit, 83
kiwifruit, 83
kumquat, 84

L

Lawtonberry, 105
lemon, 42
lime, 85
litchi, 87
litchi nut, 87
locust bean, 34
Loganberry, 106
longan, 89
loquat, 114
lungan, 89
lychee, 87

M

macadamia nut, 119
mamey plum, 162
mandarin, 90
mandarin orange, 90
mandarine, 90
mango, 92
mangosteen, 91
maracuya, 93
marmalade plum, 162
mazzard, 78
melon, 96
mollifruit, 49
monkey nut, 11

Index des termes scientifiques

Table des matières

Achevé d'imprimer en novembre 1992
sur les presses de l'imprimerie
La Renaissance
à Québec

Office de
la langue française

**FICHE D'ÉVALUATION DES
PUBLICATIONS TERMINOLOGIQUES**
(Lexique avec illustrations)

Titre : **Lexique des fruits**

Identification

Profession : traducteur / traductrice ☐
rédacteur / rédactrice ☐
réviseur / réviseure ☐
enseignant / enseignante ☐
terminologue ☐
spécialiste du domaine traité ☐
autres ☐
précisez _____

_____

Évaluation du contenu

En général, que pensez-vous du choix des termes?

Très bon ☐   Bon ☐   Mauvais ☐

Trouvez-vous les termes que vous cherchez?

Jamais ☐   Rarement ☐   Souvent ☐   Très souvent ☐

Souhaitez-vous que l'Office publie d'autres ouvrages dans le même domaine ou
dans des domaines connexes?

Si oui, lesquels : _____

_____

_____

_____

À votre avis, existe-t-il d'autres ouvrages plus complets sur le sujet?

Oui ☐   Non ☐

Évaluation de la présentation

Le format (15 cm × 21 cm) vous convient-il?

Bien ☐   Assez bien ☐   Peu ☐   Pas du tout ☐

Les pages de présentation sont-elles utiles pour la consultation?

Très ☐   Assez ☐   Peu ☐   Pas du tout ☐

Les illustrations sont-elles pertinentes?

Très ☐   Assez ☐   Peu ☐   Pas du tout ☐

Les illustrations sont-elles en nombre suffisant?

Oui ☐   Non ☐

Les informations sont-elles présentées clairement?

Très ☐   Assez ☐   Peu ☐   Pas du tout ☐

Mode d'acquisition

Comment avez-vous appris l'existence de cet ouvrage?

_____

_____

Où vous l'êtes-vous procuré?

_____

_____

L'avez-vous trouvé facilement?

Oui ☐   Non ☐

Retourner à : Office de la langue française
Direction des services linguistiques
Bureau du directeur
700, boulevard Saint-Cyrille Est, 2e étage
Québec (Québec)
G1R 5G7